JN214493

安房直子 絵ぶんこ 4

遠い野ばらの村

安房直子 文　高橋和枝 絵

「わたしのむすこは、遠いところにいるんですよ。汽車にのったら、何時間かかるでしょうかねえ。その村には、きれいな川が流れていましてね、野ばらが、たくさん咲いていましてね、そりゃ、気持ちのよいところだそうですよ。」

「おや、おばあさん、そこへ行ったことはないんですか。」

「ええ。まだ、一度も行ったことはありません。むすこは、その土地で、いいお嫁さんをもらって、子どもが三人もいます。仕事も、うまくいってるはずです。

お母さん、ぼくたちの家へきてください、いっしょに暮らしましょうって、ちょくちょく手紙がきますけれどね、わたし、子どもにあまえたくはないんです。だから、元気で働けるうちは、ここでひとりでがんばるつもりですよ。」

谷間の小さな村で、そのおばあさんは、雑貨屋をひらいていました。せまい店の中には、ちりがみやら、化粧品やら、歯ブラシやらほうきやらそれから、ノートやらえんぴつやらが、ぎっしりとならんでいました。この店に品物を買いにくる村の人たちや、この店に品物をおろしにくる問屋のおやじさんに、おばあさんは、よく遠い村のむすこの話をしました。はじめて、この話を聞く人は、ふんふんとうなずいて、

「いいむすこさんがいていいねえ。」

といって、帰りました。ところが、むかしからこのおばあさんを知っている人は、心の中で、

（またはじまった。）

と思うのでした。村の人たちは、みんな知っていたのです。このおばあさんには、むすこなんか、ひとりもいないことを。それどころか、おばあさんは、むかしからのひとりぐらしだったことを。

それでも、だれも、おばあさんの話のじゃまはしませんでした。空想のむすこや孫の話をするとき、おばあさんのほおは、ばら色になり、目はキラキラと輝くからです。声の調子まで若々しくすきとおってくるからです。

「いちばん上の孫は、女の子でね、もう十二になりますよ。目のまんまるい、そりゃかわいい子ですよ。」

そんな話を、何度もしているうちに、おばあさんの目には、いつか、ほんとうに孫娘の姿が見えるようになっていました。その子の声まで聞こえるようになっていました。

ある日、おばあさんは、孫娘のために、ゆかたの反物を買いました。白地に、大きなチョウや、小さなチョウがとんでいるその反物で、たもとの長い着物をぬいながら、おばあさんは、自分の若いころにそっくりの、おさげの娘の姿を、はっきりと、目にうかべていたのでした。

ところが、ある日のこと、そんな娘が、ほんとうにひょっこりと、おばあさんのところへやってきたのです。

春のはじめのひぐれどきでした。ふろしきづつみを持った、十二ぐらいの少女が、おばあさんの店の戸を、からりとあけて、いきなり、

「おばあちゃん、こんにちは。」

といったのです。店番をしながら、ゆかたをぬっていたおばあさんは、ひょいと顔をあげて、

「おやまあ。」

とさけびました。店の入り口には、ほんとうに、いままで自分が考えていたとおりの、目のまんまるい、おさげの娘が立って、にこにこわらっていたからです。

「あんたは……。」

おばあさんは、めがねをはずして、つくづくと、娘を見つめました。すると、娘は、すらすらと、こういいました。

「わたし、お父さんのおつかいで、野ばらの村からきました。名まえは、千枝っていいます。」

「ああ、千枝ちゃん……。」

おばあさんは、大きくうなずきました。

そうでしたっけ、孫の名まえは、千枝でしたっけ……。おばあさんは、うれしくて、ふっと涙がでそうでした。

「よくきてくれたねえ。さあさあ、こっちへおいで。ちょうど、あんたのゆかたをぬっていたんだよ。もう、できあがるところだから、ちょっとあがって、着てみてごらん。」

ところが、娘は首をふって、

「きょうは、とてもいそいでいるの。今夜のうちに、帰らなきゃならないの。」

といいました。それから、かかえていたふろしきづつみを、ノートのならんでいるたなの上にあげて、そっとほどきました。

「おや、いったいなにを持ってきたの？」

おばあさんは、下駄をはいて、店におりると、娘のそばへ行きました。そうして、そっとのぞきこむと、ふろしきの中には、まっ白い四角のせっけんが、たくさんはいっていました。

「これ、お父さんがこしらえたせっけんです。おばあちゃんのお店に、置いてみてくださいな。」

「ああ、そうだっけねえ。」

おばあさんは、わすれていたことを、また思いだしました。

「あんたたちの父さんは、せっけんつくりの仕事をしていたんだっけねえ。店の名まえは、たしか……そうそう、野ばら堂だったっけねえ。」

おさげの娘は、うれしそうにうなずいて、

「そう。野ばら堂のせっけんは、かおりがよくて、泡だちがよくて、とっても評判がいいの。それで、ことしから、もっとたくさんこしらえて、あっちこっちに、おろしてみようって、お父さんが、いいだしたの。それでまずはじめに、おばあちゃんの店に置いてもらおうと思って……。」

「ああ、そうかい。いいですとも。どんどん売ってあげるよ。そんなことなら、もっと早く持ってきてくれればよかったのに。」

おばあさんは、目をほそめて、いくどもうなずきながら、ふろしきの中のせっけんをひとつ、手にとってみました。せっけんは、ほのかな花のにおいがしました。ほんものの、ばらのにおいでした。おばあさんは、目をつぶって、大きく息をすいこみました。すると、赤や白のばらの花がいっぱいに咲きみだれた遠い村が、目にうかんでくるのでした。

「せっけんは、ちょうど二十あります。」

と、娘はいいました。おばあさんは、うなずいて、

「ひとついくらで売ればいいかねえ。」

とたずねました。すると、娘は、びっくりするほど安いねだんをいいました。

「そんなねだんじゃ……あんたの父さん、やっていけないだろうに。」

娘はわらって、

「それで、じゅうぶん、もうけさせてもらってるんだって、お父さんいってました。一週間たったら、集金にきますから、どうぞよろしく。」

娘は、ぺこんとおじぎをして、

「そんなら、今夜はいそぎますから。」

と帰ろうとするのです。おばあさんは、おろおろしました。

「もう帰るのかい。なんだか、他人みたいだねえ。ちょっとあがっていったらいいのに。お茶一ぱい飲んでいったらいいのに。」

娘は、ふろしきをたたみながら、

「一週間たったら、またきます。」

そういうと、いそいで店を出ていきました。

娘が帰ったあと、おばあさんは、野ばら堂のせっけんを、店のいちばん目だつところにならべました。そうして、早く、お客がこないかなあと思いました。おばあさんは、人にしゃべりたくてたまらなくなったのです。

――きょうは、孫娘が、きたんですよ。名まえは千枝っていいましてね、そりゃ、かわいい子ですよ。来週もまたくるんですよ……。

そんなことばを胸にためて、おばあさんは、ひとりでいつまでも、にこにことわらっていました。

野ばら堂のせっけんは、よく売れました。

村の人びとは、店にはいると、おばあさんが、まだなにもいわないうちから、もうその美しいせっけんに目をつけて、ひとつ、またひとつと買っていったのです。

「あのせっけんは、いいにおいがするねえ。」

「あのせっけんで顔や手を洗ったら、はだがすべすべになって、ほら、このとおりだよ。」

せっけんを買った人たちは、そんな話をしました。するとまた、つぎつぎに新しいお客が、おばあさんの店にやってきて、二十個のせっけんは、ほんの三日のうちに売り切れてしまいました。おばあさんは、すっかりうれしくなりました。

「こんなことなら、もっとたくさん置かせておいてやればよかった。このつぎからは、三十か五十にさせましょう。」

おばあさんは、つぎにあの娘がやってくる日が、待ちどおしくてたまりません。

ゆかたは、すっかりぬいおわって、しつけをしましたし、たったひとつのへやも、きれいに、そうじをしました。それから、近くのお百姓の家へ行って、あずきを三合と、もち米を三合買ってきて、おはぎをこしらえることにしました。

さて、あの日から六日がすぎて、いよいよ孫娘がやってくる前の晩に、おばあさんは、裏の井戸ばたで、あずきを洗いました。つややかな、赤いつぶつぶの、上等のあずきです。それを、おけに入れて、こしこしと、一心に洗っていますと、うしろで、だれかが呼びました。

「おばあちゃん、なにをつくるつもり？」

おばあさんは、ひょいとふりむいて、

「あれま。」

とさけびました。それから、ひっくりかえりそうにして、

「おどろいたねえ。」

といったのです。なぜって、おばあさんのうしろには、このあいだの孫娘のほか

に、十ぐらいの男の子と、五つぐらいの男の子が立って、みんなまんまるい目で、おばあさんの手もとを、じっと見ていたのですから。

三人の子どもたちは、口ぐちに、たずねました。

「おばあちゃん、あずきを洗ってるんでしょ。音でわかるよ。」

「なにができるところ？」

「なにができるところ？」

おばあさんは、片目をつぶって、

「お、は、ぎ。」

と答えました。

「だけどまさか、あんたたちが、きょうくるとは思わなかった。こまったねえ。あずきは、ひと晩水につけとかなきゃおいしく煮えないし、もち米だって、いまといだばっかりだよ。おいしいおはぎは、あしたにならなきゃ食べられないよ。」

これを聞いて、男の子たちは、口をとがらせました。上の娘の千枝も、ふと、つまらなそうな顔をしましたが、すぐ思いなおしたらしく、こういいました。

「いいんです。わたしたち、お父さんのおつかいできたんですから。つぎの新しいせっけんを置いてすぐ帰ります。」

おばあさんは、あわてました。あずきのおけをかかえて立ちあがると、

「まあまあ、そういわないで、ちょっとあがっていきなさい。せっかく三人できたんだから、今夜は、泊まっていきなさい。さあさあこっち。」

孫たちを、店のほうへみちびきながら、おばあさんは、ふっと楽しくてたまらなくなりました。

「孫がいちどに三人もやってくるなんて……こんないいことがあるなんて……。」

おばあさんのほおは、お酒（さけ）を飲（の）んだときのようにあつく、ほてっていました。

「お父さんは、元気かい？」

店の奥のへやに、子どもたちを一列にすわらせて、おばあさんは、たずねました。三人がうなずくと、おばあさんはこんどは、

「お母さんは、元気かい？」

とたずねました。三人は、またいっせいにうなずきました。

「そうかい。よかったこと……。」

おばあさんは、ほんとうに、うれしいと思いました。

「お父さんは、いまでも、おはぎがすきかい？」

おばあさんがたずねますと、三人は、楽しそうに顔を見あわせて、

「お父さんは、おしるこ、お母さんは、おまんじゅう、わたしたちは、おはぎが大すき。」

と答えました。

「おやおや、そうかい。」

おばあさんは、わらいながら、あずきのおけを、台所に運びました。そしてまた、思ったのです。こんなことなら、あずきも、もち米も、早くから水につけておけばよかったと――。

するとそのとき、すぐうしろで千枝の声がしました。

「おばあちゃん、あずきとお米が、すぐやわらかくなるように、わたしがおまじないしてあげる。」

おばあさんがふりむくと、千枝は、ポケットから、赤い小さなばらの花びらをとりだして、あずきのおけに、うかべました。それから、また一枚、白い花びらをとりだして、こんどは、もち米のはいったおかまに、うかべました。それから、目をつぶって、のんのんのんと、おまじないをしますと、

「これでもう、だいじょうぶ。」

といったのです。

「どれどれ。」

おばあさんが、のぞきこみますと、これはまあ、さっき入れたはずの花びらは消えていて、あずきも、もち米も、ふっくりふくらんだように見えました。それでも、おばあさんは、心配でした。

「これで、すぐ煮てだいじょうぶかねえ。もち米も、すぐたいて、だいじょうぶかねえ。」

すると、千枝はうなずいて、さっさと、かまどに火をくべはじめました。そこで、おばあさんも七輪に火をおこして、あずきを煮ることにしました。

やわらかく煮えたあずきに、お砂糖をたっぷり入れて、おばあさんは、おいしいあんこをこしらえました。ふっくりとたきあがったごはんを、すりこぎでたたいて、おもちにするのは三人の孫の仕事です。

窓の外は、もうとっぷりと暮れて、おばあさんの家には、だいだい色の電灯がともりました。つぶしたもち米で、おだんごをこしらえて、それを、あずきでくるんで、大きなお皿に、つぎつぎにならべながら、おばあさんは、ふっと涙がこぼれそうになりました。こんなににぎやかで、こんなに楽しい晩は、何十年ぶりでしょうか。おばあさんの、お父さんとお母さんが、まだ生きていて、おばあさんの姉さんたちも元気だった遠い日に、やっぱりこの台所で、にぎやかにおはぎをこしらえたことを、おばあさんは、思いだしたのです。

おはぎのお皿を、おぜんに運んで、お茶をわかして、おばあさんと、三人の子どもたちは、おはぎを食べました。

「おいしいかい？」

「あまいかい？」

孫たちが、ひと口食べるたびに、おばあさんは、目をほそめて、そうたずねました。子どもたちは、うんうんと、うなずきながら、おはぎを、いったいいくつ食べたでしょうか。三人のおなかは、いつか、ぷうっとふくれました。まぶたは、重そうになり、やがて、いちばん小さい子が、その場にころんとねころがると、まん中の子も、大きなあくびをしました。おばあさんは、ほほっとわらいました。

「おやおや、おなかがいっぱいになったら、ねむくなったんだねえ。」

けれど、いちばん上の千枝だけは、ねむいのをがまんして弟たちのおしりをたたきながら、

「眠っちゃいけないよ。今夜のうちに帰らなくちゃいけないんだから。明るく

なったら、たいへんなんだから。」

とくりかえしているのです。千枝は、泣きだしそうな顔をしていました。

「だめだったら、だめだよ。眠ってしまったら、おまじないが、とけてしまうよ。」

けれども、そういいながら、千枝のまぶたも、やっぱり重くなってゆくのでした。そのようすを、やさしくながめながら、おばあさんは、いいました。

「かまわないよ、かまわないよ、遠いところからやってきたんだもの。くたびれてるにきまってる。さあさあ、おやすみ。」

おばあさんは、ふとんをだしてきて、三人の子どもを、寝かせてやりました。

それから、自分も、ごろんと横になると、やがて、すうすうと眠ってしまいました。

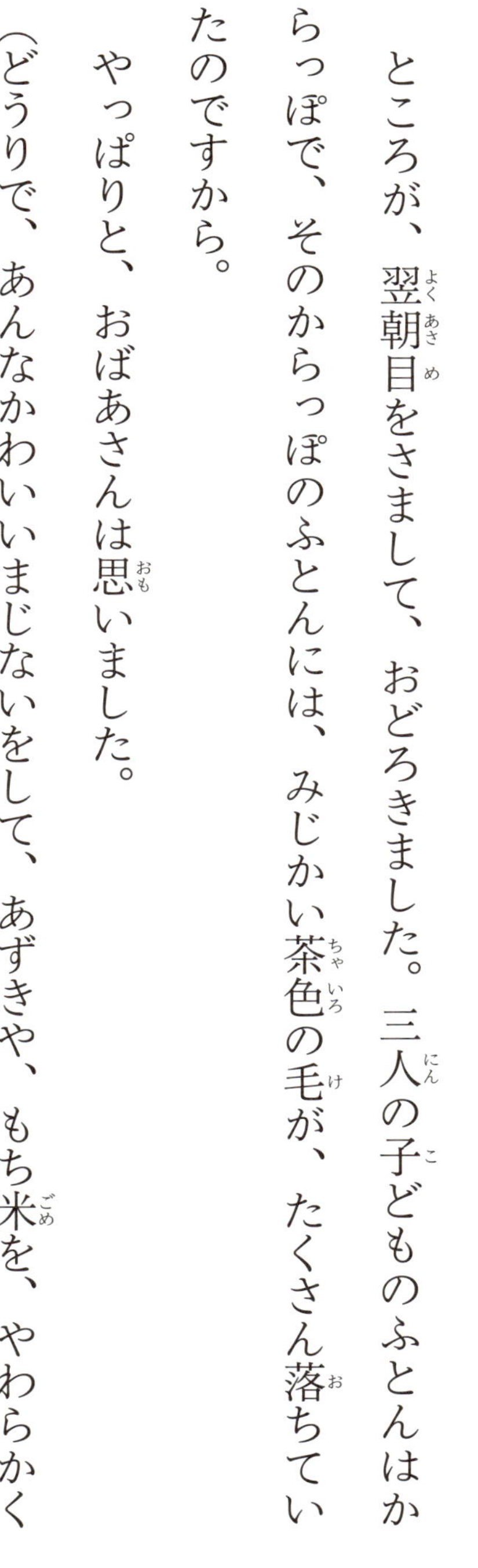

ところが、翌朝目をさまして、おどろきました。三人の子どものふとんはからっぽで、そのからっぽのふとんには、みじかい茶色の毛が、たくさん落ちていたのですから。

やっぱりと、おばあさんは思いました。

（どうりで、あんなかわいいまじないをして、あずきや、もち米を、やわらかくしてくれたはずだ……あの子たちは、たぬきだったんだ……。）

あけがたの山道を、三匹の子だぬきが、つれだって帰っていく姿を、おばあさんは、目にうかべました。するとやっぱり、おばあさんの胸は、ほかほかと、あたたまってくるのでした。

「またおいでよ。わたしは、あんたたちが、たぬきだって、ちっともかまわないんだから……。わたしを、あんなに楽しい気持ちにさせてくれたんだもの。あんたたちは、やっぱりわたしの孫なんだよ。」

そんなひとりごとをいいながら、おばあさんは、ゆうべ、子だぬきたちが持ってきた新しいせっけんを、また店にならべました。それから、半紙に大きく、

〈野ばら堂のせっけんあります〉

と書いて、ガラス戸にはりました。

お客がくるたびに、おばあさんは、遠い村に住んでいる、せっけんづくりのむすこの話をしました。そうしてまた、あの子どもたちが、新しいせっけんをとどけてくれる日を待っていたのです。

ところが、こんどは、どうしたことか、一週間たっても、十日たっても、いいえ、半月がすぎても、あのたぬきの子どもたちは、やってきません。山の小さな若葉は、いつのまにか、青く深いしげみにふくらんでいって、もう夏の近いこと

を知らせていました。

「いったい、どうしたことだろう……。」

おばあさんは、夕方になると、店の前に立って、遠くのほうをながめました。

店のガラス戸には、〈野ばら堂のせっけんあります〉という、あのはり紙が、はがれかけて、風にゆれていました。おばあさんの店に、野ばら堂のせっけんは、もうひとつもありません。みんな、売り切れてしまったのです。あの子たちに、手紙を書きたいなと、おばあさんは、思いました。

――野ばら堂のせっけんを、もっともっと、持ってきておくれ。うちでは、まだ、いくらでも売れるから。それから、売上げ金をまだぜんぜんわたしてないから、それも、とりにきてくれなきゃこまるよ。それから、もうひとつ、千枝ちゃんのゆかたが、できあがっているよ――と、そんなふうに。

ある夕ぐれ。

やっぱり、店の前に立って、おばあさんが、遠い山のほうを見ていますと、う

しろから、村の子どもたちの、はじけるような笑い声が聞こえてきました。

子どもたちは、しゃぼん玉をしていました。手にした麦わらの先から、たくさんのしゃぼん玉が生まれて、風にとんでいきます。それを追いかけて、子どもたちは、わらいさざめきながら、走っているのでした。

「おやまあ。」

と、おばあさんは、目をほそめました。

「なんてきれいな、しゃぼん玉だろう……。」

しゃぼん玉は、みんな、ほんのりと、ばら色でした。おばあさんが、うっとりしていますと、ひとりの子どもが、いいました。

「これ、野ばら堂のせっけんでこしらえたせっけん水だよ。」

「ほら、いいにおいのする、きれいなせっけん、あれで……。」

おばあさんは、めがねをかけて、子どもたちの手にしたびんをながめました。

「おや、そうかい。野ばら堂のせっけんでねえ……。」

おばあさんは、すっかりうれしくなりました。

「どれ、ちょっと、わたしにも貸してごらん。」

おばあさんは、すぐそばの小さい子のびんと、麦わらを、とりあげると、自分も、麦わらをそっと、びんの中にしずめて、それから、口にふくんでみました。

麦わらの先から、すきとおった小さなしゃぼん玉が生まれて、それがほんのりと、ばら色に染まりました。

（おや、赤い野ばらの色だ。）

と、おばあさんが思っていますと、麦わらの先からは、あとから、あとから野ばら色のしゃぼん玉が生まれるのでした。おばあさんは、夢中になって、しゃぼん玉遊びをつづけました。

麦わらの先から生まれるしゃぼん玉は、風に運ばれて、山のほうへと流れていきます。ふしぎなことに、しゃぼん玉は、ひとつもはじけません。ですから、どんどんふえていって、どこまでもどこまでも流れてゆくのです。それを、じっと

見て
れか
「え

から、だ

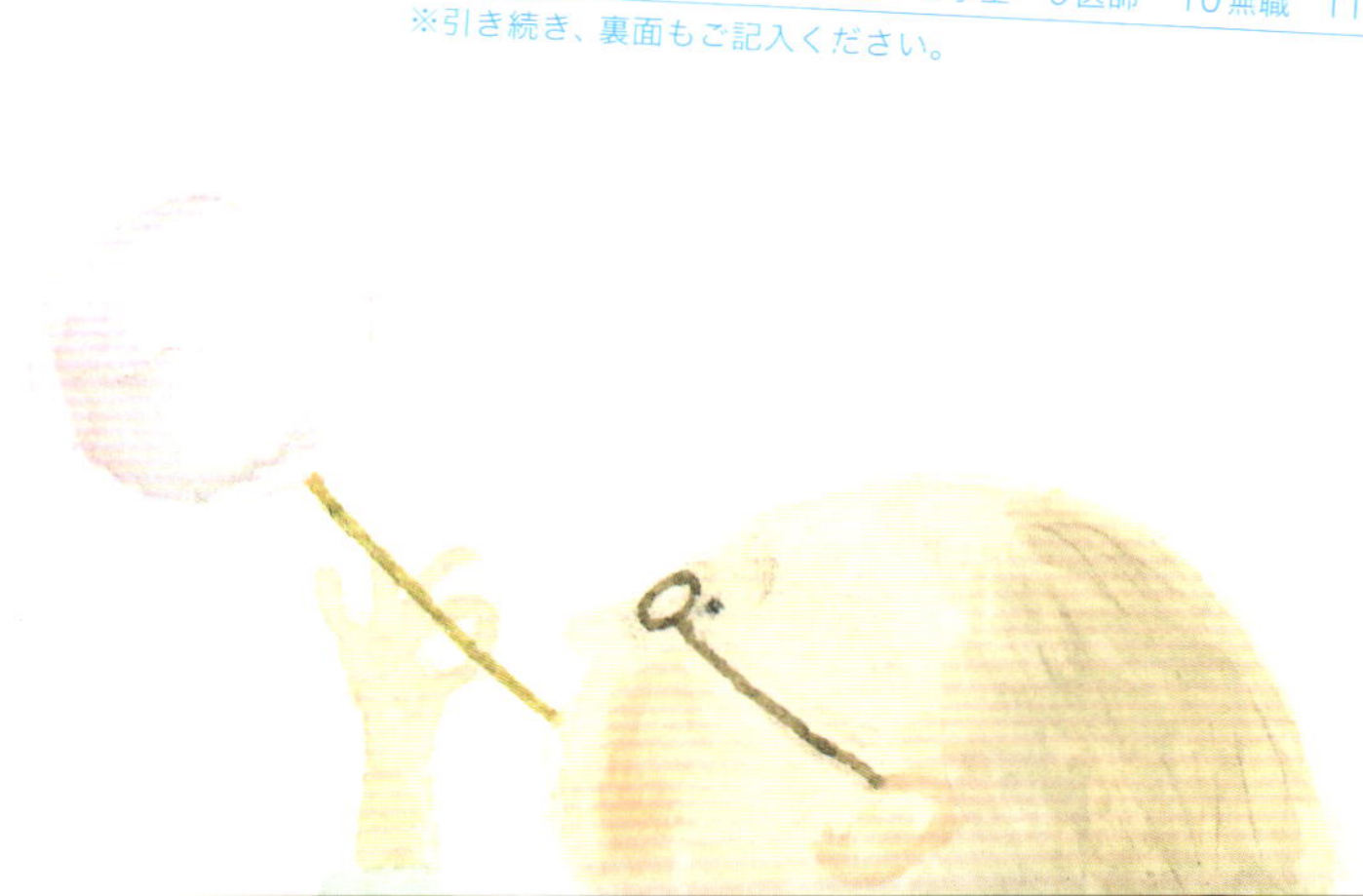

そんなひとりごとをいうと、おばあさんは、しゃぼん玉のあとを追いかけて、走りだしました。麦わらと、せっけん水のびんを持ったまま、おばあさんは、両手をひろげて、走りつづけました。

「おばあさん、麦わら、かえしておくれよう、びん、かえしておくれよう。」泣きながら追いかけてくる子どもの声が、だんだん小さくなり、ちぎれちぎれになって消えてしまっても、まだおばあさんは走りつづけます。夕ぐれの田んぼの道で、しゃぼん玉の群れは、ますます赤く、ますますうるんだ色になって輝きました。おばあさんの足は、まるで、山を走る鹿のようにはやいのです。走っても走っても、つかれることがありません。

しゃぼん玉を追いかけながら、おばあさんは、村はずれの橋をわたり、急な山道を、ずんずんのぼっていきました。

そうして、どれほど走ったでしょうか。

いつかおばあさんは、小さな川の流れている、たいらな場所に出ました。

「おや、まあ。」

おばあさんは、ふっと夢をみているような気がしました。もう三里も五里も走ったと思うのに、あたりはまだ夕ぐれで、川には、やさしい紅色の雲がうつっているのでしたから。

「まあだ、日が暮れないよ……。」

おばあさんは、風に吹かれて、遠くのほうをながめました。そしてこのとき、やっと気がついたのです。あたりには、野ばらの木がたくさんあって、赤い小さな花を、いっぱいいつけているうことに。

「ああ、どうりで、いいにおいがすると思った。ここらは、空もばら色で、地面もばら色なんだねえ。わたしゃ、とうとう、むすこや孫の住んでるところにきたらしいねえ。」

そんなふうに、おばあさんがつぶやいたとき、すこしさきで、こんな歌声がしました。

まんまるまるの　まんなかに
ぽつんと赤い　ばらの花
野ばらまんじゅう　おいしいな

よく見ると、生いしげった草のかげに、小さな木の橋が、かかっていました。
そこに、子だぬきが三匹、こしかけていました。

「おやおや、そこにいたのかい。」

おばあさんの心は、明るくなりました。なくしたものを、やっとさがしあてたような気がしました。

「そんなところで、歌なんかうたってたのかい。」

おばあさんは、たぬきのところまで走ってゆきました。

「やっと、会えたねえ……。」

けれども、子だぬきたちは、おばあさんの姿を見ると、はずかしそうにうつむきました。そのひざの上には、それぞれおまんじゅうがのっています。それは、まん中に、赤い野ばらの塩づけが、ひとつずつついている、かわいい白いおまんじゅうなのでした。

「ああ、それが、野ばらまんじゅうなんだね。あんたたちのお母さんが、こしらえてくれたんだね。」

たぬきたちは、やっぱりうつむいたまま、こくんと、うなずきました。おばあ

さんは、橋の上に、ならんですわりました。
そうして、そっといったのです。
「はずかしがらなくていいんだよ。わたしは、あんたたちが、たぬきなんだってこと、ちゃんと知ってたんだから。でも、そんなこと、ちっとも気にしてないんだから。」

それから、おばあさんは、いちばん大きな子だぬきにいいました。

「千枝ちゃん、あんたのゆかたが、もうできてるんだよ。長いたもとの、それはいい着物だよ。こんどかならず、とりにきておくれよ。」

千枝の子だぬきは、うれしそうにうなずくと、ひざの上のおまんじゅうを、半分にしておばあさんにくれました。

おまんじゅうは、ほのかに、野ばらのにおいがしました。そっと口に入れると、つぶのあずきが、ぷちぷちと、それはいい舌ざわりなのです。おまんじゅうを食べながら、おばあさんは、たずねました。

「あんたたちの家はどこ？」

すると、千枝のたぬきは、川下の、かやのしげみを指さしました。ああ、なるほど、あの草の中に、たぬきの家と、せっけん工場があるんだなあと、おばあさんは考えました。このとき、しげみの中から、まるで、もやのような紫の煙がひとすじあがりました。

「あ、あれが、せっけん工場の煙なんだねえ。」

おばあさんが、そういいますと、三匹はうれしそうにうなずきました。そこでおばあさんは、子だぬきの頭を、一匹ずつやさしくなでてやって、

「またきてくれなくちゃこまるよ。野ばら堂のせっけんを村の人たちは、まだまだほしがっているんだから。お父さんにいっておくれ。せっけんは、どんどんつくって、どんどんとどけておくれって。ね、きっとだよ。きっときておくれよ。」

すると、三匹は、かしこまって、小さな声をそろえて、

「きっと行きます。」

と答えました。

空いっぱいの夕焼け雲は、このとき、もう、うす紫にかわっていました。かやのしげみの中に、ぽつりと、小さなあかりがともったように思われて、おばあさんは、立ちあがりました。

「さあ、暗くなってきたから、おうちにお帰り。わたしも、そろそろ帰りましょう。」

すると、千枝のたぬきが、立ちあがって川岸まで走ってゆくと、草むらから、

ひょいと、ちょうちんをとりだしました。それから、そのちょうちんに、まるで、魔法のようにすばやく火をともすと、おばあさんのところへ持ってきたのです。

ちょうちんの火は、やっぱり、野ばらの色でした。

「あんたは、なかなか気がきくねえ。」

おばあさんは、ちょうちんを受けとると、山の道を、帰っていきました。ほのぐらくなった川ぞいの道を、おばあさんは、せっせと歩きました。ふしぎなちょうちんのせいでしょうか、おばあさんはけっして道をまちがえません。そして、歩いても歩いても、つかれません。

「とうとう、むすこの村へ行ってきましたよ。野ばらのたくさん咲いている、とてもきれいなところでしたよ。橋のところに、孫が三人いましてねえ……。帰りに、このちょうちんをくれましたよ。野ばら堂の新しいせっけんは、来週あたりから、どんどんはいりますからね……。」

おばあさんは、楽しいひとりごとをいいながら、まっくらな道をすたすたと歩いてゆきました。そうして、夜ふけにはちゃんと、自分の家に帰りついたのでした。

安房直子（あわ なおこ）

東京都に生まれる。日本女子大学在学中より、山室静氏に師事。大学卒業後、同人誌『海賊』に参加。1982年、『遠い野ばらの村』（筑摩書房）で野間児童文芸賞、1985年、『風のローラースケート』（筑摩書房）で新美南吉児童文学賞、1991年、『花豆の煮えるまで』でひろすけ童話賞を受賞。1993年、肺炎により逝去。享年50歳。没後も、その評価は高く、『安房直子コレクション』全7巻（偕成社）が刊行されている。

高橋和枝（たかはし かずえ）

神奈川川県生まれ。東京学芸大学教育学部美術科卒業。文具デザインの仕事を経て、書籍の挿画や絵本創作に携わる。絵本に、「くまくまちゃん」シリーズ（ポプラ社）、『りすでんわ』（白泉社）、『くまのこのとしこし』『トコトコバス』（講談社）、『あめのひのくまちゃん』『うちのねこ』（アリス館）、『あら、そんなの!』（偕成社）など。挿絵を手がけた作品に『月夜とめがね』（小川未明・作／あすなろ書房）、『銀のくじゃく』（安房直子・作／偕成社）などがある。

本書に収録した作品テクストは、下記を使用しました。
『安房直子コレクション2 見知らぬ町ふしぎな村』（偕成社）

安房直子 絵ぶんこ④

遠い野ばらの村

2024年6月30日　初版発行

安房直子・文
高橋和枝・絵

発行所／あすなろ書房
〒162-0041　東京都新宿区早稲田鶴巻町551-4
電話03-3203-3350（代表）
発行者／山浦真一

装丁／タカハシデザイン室
印刷所／佐久印刷所
製本所／ナショナル製本

ISBN978-4-7515-3204-1　NDC913　Printed in Japan